Texto B.A.T.A.   Ilustraciones de Alicia Suárez

NICOLÁS VA DE COMPRAS

NICOLÁS **COMPRAR**

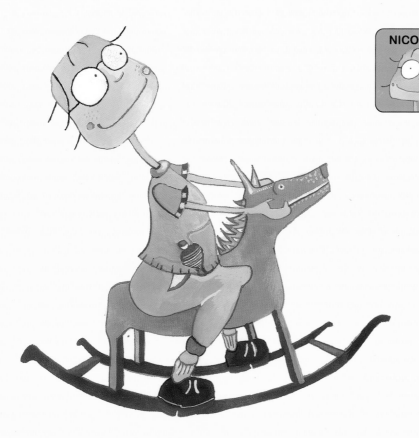

 kalandraka   BATA

Frutería

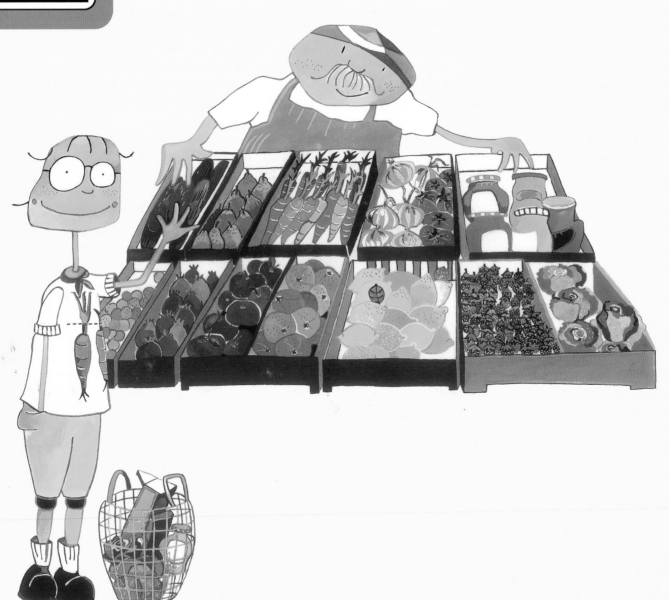

 COMPRAR

 FRUTERÍA

Vamos a comprar en la frutería:

 PERA

pera

 MANZANA

manzana

 MELÓN

melón

 FRESA

fresa

 NARANJA

naranja

 LIMÓN

limón

 CEREZAS

cerezas

 CIRUELAS

ciruelas

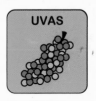 UVAS

uvas

 SANDÍA

sandía

Verdulería

Vamos a comprar en la verdulería:

repollo

berenjena

coliflor

brócoli

zanahoria

patata

tomate

lechuga

cebolla

calabaza

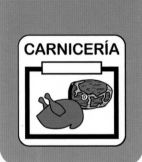

Carnicería

COMPRAR

 CARNICERÍA

Vamos a comprar en la carnicería:

 TOCINO

tocino

 BISTEC TERNERA

bistec
de ternera

 CARNE DE CORDERO

carne
de cordero

 MUSLO DE POLLO

muslo
de pollo

 CHULETA DE CERDO

chuleta
de cerdo

 POLLO

pollo

 CHURRASCO

churrasco

 SALCHICHAS

salchichas

 JAMÓN

jamón

 CHORIZO

chorizo

Pescadería

COMPRAR

 PESCADERÍA

Vamos a comprar en la pescadería:

 SARDINAS

sardinas

 SEPIAS

sepias

 PULPO

pulpo

 CALAMARES

calamares

 LENGUADO

lenguado

 RODAJAS DE SALMÓN

rodajas
de salmón

 TRUCHA

trucha

 ALMEJAS

almejas

 MEJILLONES

mejillones

 NÉCORA

nécora

Panadería-Pastelería

COMPRAR

 PANADERÍA

Vamos a comprar en la panadería-pastelería:

 BARRA DE PAN

barra de pan

 PAN

pan de molde

 ROSCA

rosca

 BOMBONES

bombones

 DONUT

donut

 MAGDALENA

magdalena

 HUEVO DE CHOCOLATE

huevo de chocolate

 PASTEL DE CHOCOLATE

pastel de chocolate

 CARAMELOS

caramelos

 TARTA

tarta

Supermercado

Vamos a comprar en el supermercado:

leche

galletas

arroz

chocolate

huevo

yogur

espagueti

queso

mermelada

helado

Tienda de ropa

Vamos a comprar en la tienda de ropa:

calcetines

vestido

falda

camiseta

cazadora

pantalón

calzoncillo

bragas

sudadera

abrigo

Zapatería

 COMPRAR ZAPATERÍA

Vamos a comprar en la zapatería:

sandalias

zapatillas

deportivas

zapatos de
tacón

abarcas

botas

camperas

botas
de lluvia

bailarinas

zapatos de
cordones

Juguetería

Vamos a comprar en la juguetería:

guitarra

pelota

tren

muñeca

bloques

puzzle

coche

patines

osito

bicicleta

Floristería

Vamos a comprar en la floristería:

rosas

margarita

tulipán

planta

cactus

regadera

rastrillo

pala

maceta

semillas

Librería

 **COMPRAR**

 LIBRERÍA

Vamos a comprar en la librería:

 LIBRO

libro

 CUENTO

cuento

 PERIÓDICO

periódico

 BOLÍGRAFO

bolígrafo

 LÁPIZ

lápiz

 TIJERAS

tijeras

 CELO

celo

 LIBRETA

libreta

 LÁPICES DE COLORES

lápices
de colores

 PEGAMENTO

pegamento

Cafetería

Y al acabar...
¡a disfrutar!

Después de hacer las compras podemos recuperar fuerzas en la cafetería y tomar:

agua   café   infusión   batido   helado

día a día
MAKA KIÑOS

Ver con otros ojos,
leer con otras palabras,
aprender con Nicolás
que un pequeño paso de hormiga
puede convertirse
en un paso de gigante

Colección **MAKA KIÑOS** *día a día*

© del texto: Asociación BATA, 2009

© de las ilustraciones: Alicia Suárez, 2009

© de esta edición: Kalandraka Ediciones Andalucía, 2010

Avión Cuatro Vientos, 7 - 41013 Sevilla

Telefax: 954 095 558

andalucia@kalandraka.com

www.kalandraka.com

Impreso en C/A Gráfica, Vigo

Primera edición: enero, 2010

ISBN: 978-84-92608-21-8

DL: SE 6454-2009